Coletânea de textos de Içami Tiba

Educação & Amor

Educação

Coletânea de textos de Içami Tiba

Educação & Amor

INTEGRARE EDITORA

Publisher
Maurício Machado

Produção editorial
Estúdio Sabiá

Preparação de texto
Bonifácio Miranda

Revisão
Ceci Meira e Nina Rizzo

Projeto gráfico e capa
Alberto Mateus

Diagramação
Crayon Editorial

Dados Internacionais de Catalogação na Publicação (CIP)
(Câmara Brasileira do Livro, SP, Brasil)

Tiba, Içami
Educação & amor / Içami Tiba. – São Paulo : Integrare Editora, 2006.

ISBN 85-99362-11-9

1. Amor 2. Educação de crianças. 3. Pais e filhos. 4. Pensamentos I. Título

06-8345 CDD-158

Índices para catálogo sistemático:

1. Educação e amor : Pensamentos : Psicologia aplicada 158

Trechos deste livro foram publicados anteriormente, de forma diferente, no livro *Amor, Felicidade & Cia.*, de Içami Tiba.

Rua Tabapuã, 1123, 7º andar, conj. 71/74
CEP 04533-014 - São Paulo - SP - Brasil
Tel: (55) (11) 3815-3059 / 3812-1557
Visite nosso site: www.integrareeditora.com.br

apresentação

Este livro fala de mim, dos meus sonhos, do que penso, de como ajo.

Permito-me abrir-lhe as portas da minha vida
e convido você a adentrar num espaço
onde residem minhas experiências de vida,
onde estão as pessoas que eu amo,
onde mesmo algumas falecidas ainda vivem,
aonde já chegaram dois netos
mas muitos ainda chegarão,
onde meus amigos têm suas moradas asseguradas,
onde jorra uma inesgotável fonte de vida que
ajuda os necessitados
tranqüiliza os ansiosos e angustiados
aplaca a ira dos injustiçados
harmoniza os diferentes
reconcilia os briguentos
bendiz o amor juvenil
rejuvenesce o amor maduro
canta o amor senil
celebra relacionamentos
ajuda a educar crianças de qualquer idade
sofre com perdas e mortes,

enfim,

onde aninhado pela educação e amor
vive o *leitmotiv* da minha felicidade.

Entre, por favor!

Seja bem-vindo!

Estou feliz por você ter entrado neste livro,
porque você, ao dele sair, estará diferente!

Você vai entrar na intimidade das pessoas
que lhe são familiares, mas desconhecidas!

Não existem pessoas detestáveis,
elas têm suas razões para assim serem!

Muitas vezes, por amor aos filhos,
os pais têm que cortar os cordões umbilicais.

... e também por amor eles não devem fazer
o que a seus filhos compete que façam.

Fazendo por eles o que eles são capazes de fazer,
em vez de ajudar os pais amputam os filhos...

> Mas o que sentem os pais ao ajudar?
> ... e quais os sentimentos de um filho
> ao exigir dos pais mais do que eles possam dar?
> Como os filhos reclamam da vida?
> Não tem como os pais tirarem com as mãos
> O mau humor cujas razões até o filho desconhece.
> Já não se fazem mais "aborrecentes" como antes,
> pois eles já se fizeram como "crioncinhas"!

Filhos deveriam ser unidos como "unha e carne"
... e por que então "unha de um na carne do outro"?
Por que um "folgado" vive
graças ao "sufocado" que está embaixo?
Com a cidadania familiar, tudo melhora!

Agora siga o caminho do Amor:

A educação eleva, sofistica e sublima o amor.
O amor ilumina a arte de viver bem.
A cidadania escolar ensina a melhorar o mundo,
Educação & Amor são bases para eternidade e felicidade.

O autoconhecimento apura e concentra o amor,
numa paixão de viver em dois anos o amor de dez.
Paixão que traz cócegas ao sangue,
em beijos que incendeiam o corpo.

Mais vale um sanduíche apaixonado
do que um nutritivo jantar solitário.
Do diálogo atemporal, do falar e do ouvir,
o primeiro beijo bastante desajeitado...

O intenso viver deixa saudade
que faz recomemorar o amor.

O sol já se foi...

... ficaram as estrelas!

A você, meu especial convidado,
que vai compartilhar deste livro,
um grande e carinhoso abraço

Tiba

sumário

Educação

Portas 12
Pais que não têm tempo 14
Educação a seis mãos 16
Aprender é como comer 18
Sábios passos do aprendizado 20
Coerência, constância e conseqüência . . . 22
Ética e mochila escolar 24
Um segundo parto 26
Adolescente 28
Cidadania 31
Eu já tenho 13 anos 33
Delegar a educação dos filhos à escola . . 35
Pai e mãe, preciso de vocês 37
Puberdade: a idade do camarão 40
Embaixo de um folgado tem um sufocado . . 41
"Crioncinhas" 43
Gratidão ao anônimo 44
Responsabilidade e honestidade 46

Amor

A arte de viver bem 50
Felicidade 52
O prazer de ensinar 53
O sucesso dos pais... 55
Uma mão lava a outra... 60
O amor é rosa 64
Desencontro 66
Praga 68
A exuberante 70
Cócegas no sangue 72
Paixão dura pouco 74
Família 76
Meu filho, sua vida já não depende só de nós... . 78
Minha pequenina está doente 80
O primeiro beijo 82
Diálogo de amor 87
Saudade 90
Imaginar é viver 93

PARTE 1

educação

Portas

Se você encontrar uma porta à sua frente, pode abri-la ou não.
Se você abrir a porta, pode ou não entrar em uma nova sala.
Para entrar, você vai ter de vencer a dúvida, o titubeio ou o medo.
Se você venceu, dá um grande passo: nesta sala, **vive-se**.
Mas tem um preço: inúmeras outras portas que você descobre.

O grande segredo é saber:
quando e qual porta deve ser aberta.

A VIDA NÃO É RIGOROSA: ela propicia erros e acertos.
Os erros podem ser transformados em acertos quando com eles se aprende.

Não existe a segurança do acerto eterno.

A VIDA É HUMILDADE: se a vida já comprovou o que é ruim, para que insistir?
A humildade dá a sabedoria de aprender e crescer também com os erros alheios.

A VIDA É GENEROSA: a cada sala em que se vive, descobrem-se outras tantas portas.
A vida enriquece quem se arrisca a abrir novas portas.
Ela privilegia quem descobre seus segredos e generosamente oferece afortunadas portas.

MAS A VIDA PODE SER TAMBÉM DURA E SEVERA:

não ultrapassando a porta,
você terá sempre essa mesma porta
pela frente.

É a cinzenta monotonia perante o arco-íris.
É a repetição perante a criação.
É a estagnação da vida.

Para a vida, as portas não são obstáculos,
mas diferentes passagens...

A felicidade

Não existe vida sem problemas, a felicidade está na capacidade de resolvê-los.

Pais que não têm tempo

Que o tempo nada mais é do que
perecível e irrecuperável, mas não recarregável,
disponível e generoso, mas cruel,
apressado e vagaroso, mas não controlável,
previsível e inexorável, mas não represável,
leve, mas profundo aos abraçados,
moroso e agoniado aos amantes distantes,
pesado e lento aos deprimidos,
inexistente aos missionários,
valorizado por uns e
desdenhado por outros...

Há pais que, apesar de terem tempo,
não conseguem "tempo para os filhos".
Mas a maioria dos pais "sem tempo para nada"
ainda conseguem fazer um tempo para os filhos.

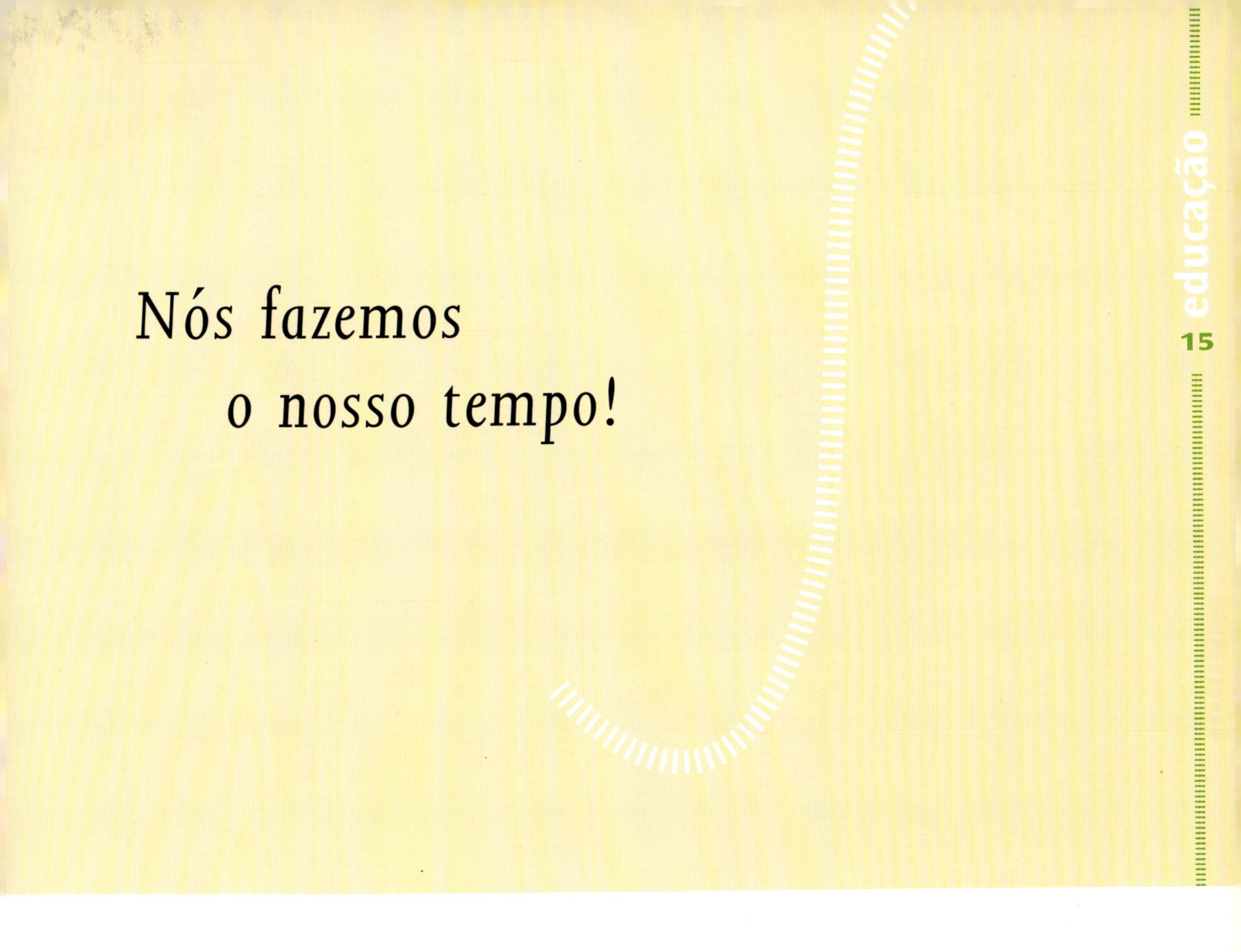

Nós fazemos o nosso tempo!

Educação a seis mãos

A construção do futuro cidadão
depende basicamente da mãe, do pai e da escola.

É importante que em casa haja
coerência, constância e conseqüência,
e na escola, a conseqüência educativa progressiva.

Um filho não deve
indispor os pais contra a escola.
Escola é mais razão que afeto.

Nem um aluno,
manipular a escola para chantagear os pais.
Eles são mais afetivos que racionais.

Pais e escola podem se integrar
para formar a educação a seis mãos.

É a mão do coração e a mão da razão
do pai, da mãe e da escola
construindo o futuro cidadão.

Adolescente

Adolescente é um bicho estranho, adora ir para lugar
onde não consegue entrar...

Aprender é como comer

Quando comemos porque sentimos fome, estamos atendendo a uma necessidade fisiológica. Mas nossa inteligência e sociabilidade transformaram a fome em prazer de comer. Para quem não está faminto, comer é também um ato social e um aprimoramento da cultura, da educação e da convivência comensal.

O apetite pode ser despertado pelo cheiro que vem da comida. Dela também apreciamos a apresentação, as cores, as formas, as combinações, os temperos, assim como louças e talheres à mesa.

O aluno pode aprender por obrigação. É um insípido comer visando somente ao valor nutritivo por ser saudável. Mas também pode aprender por prazer, quando o professor prepara com cuidado os conteúdos a serem transmitidos, preocupando-se com a apresentação e os recursos utilizados. O interesse do aluno pode ser despertado para a matéria assim como um filme pelo seu *trailer* e a palatabilidade da aula aumentada pela criatividade do professor. O cuidado com que um professor deve preparar suas aulas deveria ser equivalente ao de um bom cozinheiro esmerando-se em suas iguarias. A psique entende a aula como o corpo recebe a comida.

Uma canja de galinha é de mais fácil digestão que uma feijoada, porém de ambas o organismo retira os nutrientes e os integra sob forma de energia, acumulando-os para serem utilizados pelo viver.

A "digestão psíquica" da matéria depende da "palatabilidade" da aula. Aulas mal recebidas nem entram na psique. Existem aulas leves como canjas e outras tão pesadas quanto feijoadas. Mas também há "canjas" que se tornam pesadas conforme alguns professores, e "feijoadas" podem ser light, conforme outros. Cada aula pode necessitar de uma "digestão" diferente. É quando o aluno tem de fazer a integração da matéria recebida.

A energia acumulada no organismo serve para mantê-lo e deve estar de prontidão para ser usada a qualquer momento para realizar qualquer trabalho. O conhecimento integrado também deve ser utilizado a qualquer momento quando solicitado. O uso da energia física é instintivo, mas o do conhecimento deve ser exercitado. Chamada oral, prova escrita e testes nada mais são que diferentes maneiras de solicitar e mensurar o integrado. O verdadeiro saber é aquele que aparece naturalmente, aumentando a eficiência, o prazer e a qualidade de vida.

Não é à toa que meu querido sogro, em seu singular linguajar trasmontano, trazendo toda uma cultura portuguesa, ao saborear algo muito gostoso, diz: "Esta comida sabe bem", porque

aprender é alimentar a alma de saber.

Sábios passos do aprendizado

Quando uma pessoa nem sabe que não sabe,
traz dentro de si uma forma de tranqüilidade.
Tem sua vida limitada pela falta de conhecimento,
vive aquela paz do conformado, santa ignorância!

Quando ela descobre que sabe que não sabe,
sente-se incomodada, inquieta e até excluída.
Seu cérebro não suporta ter lacunas ou dúvidas
e, buscando aprender, com prazer descobre o saber.

Agora que sabe que sabe, quer contar a todos
como um adolescente usando seu tênis novo até em cerimônias.
Expande sua auto-estima, numa vaidade saudável, e
sente que agora pertence ao grupo dos que sabem.

O número de sinapses neuronais vai crescendo
e atinge um número imenso na puberdade.
As sinapses excessivas são eliminadas
pela falta de uso, perdendo também
um terço dos receptores de dopamina.

Assim, cai a sensibilidade do sistema de recompensa,
que pouco estimulado produz o tédio pubertário,
e para ativá-lo o jovem busca emoções mais fortes.
Parte para viver os riscos, rebeldias, aventuras adrenérgicas.

Não se escolhe

Na fome, não se escolhe o que se come.

Adolescente

Adolescente é adrenalina que agita a juventude, tumultua os pais e os que lidam com ele.

ADRENALINA que dá taquicardia nos **pais**,
depressão nas **mães**,
raiva nos **irmãos**,

que provoca fidelidade nos amigos,
desperta paixão no sexo oposto,

cansa os professores,
curte um barulhento som,
experimenta novidades,
revolta os vizinhos...

ADOLESCENTE é *um deus* com frágeis pés,
um apaixonado que não "segura" uma gravidez,
um atleta que busca o colo dos pais,
um ousado no volante que acaba com o carro,

um temerário que morre porque desconsidera o perigo,
um herói sexual reprimido pela timidez,
um conquistador que sofre "um branco" na hora H,
alegria de sonrisal em copo de água,
escuridão da casa em que foi cortada a luz...

Difícil é lidar com ele, porque

ele não se entende com o próprio corpo e ainda é
ridicularizado pelos colegas,

ele quer resolver os problemas do mundo, mas se atrapalha
com simples questões de Matemática,

ele prefere a certeza de não estudar a arriscar sua
inteligência numa prova escolar,

ele nem bem se mete a arrumar seu quarto, mas lava e
lustra o carro como um joalheiro,

ele se indispõe com os outros em defesa de seus pais, que
ele mesmo maltrata,

ele fuma maconha empunhando a bandeira da ecologia e
do menos mau,

ele é rebeldemente sociável e seguramente instável,

ele ri com lágrimas, enquanto chora com gargalhadas,

ele brinca de brigar e briga para amar,

ele vive sonhos e projetos de um vir-a-ser porque

o adolescente é pequeno demais para grandes coisas, grande demais para pequenas coisas.

Cidadania

Cidadania não se ganha porque se completou 18 anos.
Ela é construída desde o nascimento.
Seu primeiro estágio é a cidadania familiar
O que vem a seguir é a cidadania escolar.

Pais e professores que aceitam ser maltratados pelos alunos
estão dando as primeiras lições de como procederem
com as regras e autoridades sociais.

Pais e professores que marginalizam seus filhos e alunos
estão semeando abusos de poder
que a sociedade vai colher como tiranias e exclusões.

Quando alunos ofendem seus professores
não é só a pessoa do professor que está sendo atingida
mas também o estão sendo a escola e a educação.

Quando os pais fazem pelos seus filhos
o que estes são capazes de fazer,
estão amputando a sucessão
e gerando príncipes e herdeiros.

Assim como heranças familiares são detonadas
pelos príncipes e herdeiros
o Brasil não suporta mais a falta da cidadania.

O Brasil não precisa de herdeiros políticos,
mas sim de cidadãos sucessores,
que reconstruam esta maravilhosa nação.

Eu já tenho 13 anos

Não sou mais criança para fazer tudo o que vocês, meus pais, querem.

Não seria nada difícil continuar fazendo o que vocês sempre me ensinaram, afinal eu já tenho muita prática nisso e sei muito bem como satisfazê-los. Até já lhes fui motivo de muito orgulho, e muito me orgulhei de vocês perante meus amiguinhos.

Gostei muito de aprender o que vocês me ensinaram e quis mostrar-lhes tudo o que fiz. Naquela época foi tão bom vocês escovarem meus dentes e fazerem por mim o que eu não conseguiria fazer sozinho... Quantos medos, preocupações, cansaços não foram trocados por um gostoso sono no colo? Deliciei-me ouvindo histórias que povoaram meus sonhos.

Nem me lembro dos castigos, cascudinhos e beliscões. Bem que eu não gostava, mas no fundo achava que vocês tinham razão. Também por suas preocupações senti e soube quanto vocês me queriam bem. Com briguinhas e tudo, vivi bem com todos, dentro de casa, onde eu seguramente tinha meu hábitat.

Vesti o uniforme que vocês compraram, que vocês escolheram. Queria mais era agradá-los, ser agradado e, principalmente, aprovado por vocês.

Hoje está tudo muito diferente dentro de mim. Já não sou o mesmo. Sou um púbere "despindo" a infância, mas ainda sem saber que "roupas" usar. O que mais detesto é quando vocês se metem em minha vida para dizer o que devo vestir, o que devo fazer. Ainda não sei direito o que quero, mas tenho certeza de que não quero o que vocês querem para mim. Aliás, devo me rebelar contra tudo de vocês porque busco dentro de mim qual é meu caminho e o que quero da vida. Como ainda não sei argumentar sobre o que se passa dentro de mim, defendo-me pela oposição e agressão. Preciso de um tempo experimentando diversas "roupas".

Meus pés crescem e não cabem mais na infância, mas "aquela parte" resiste em ser infante e meu corpo ainda não carrega a adolescência. Fico cobiçando as meninas da classe, que só têm olhos para os mais velhos, também meus inconfessáveis modelos. Odeio tirar muitos 10, mas quero levar vantagem em tudo. Quando erro, fico irado se me apontam: deixem comigo que estou procurando me acertar.

Atrapalho-me às vezes, perco-me até. Aí, com cuidado, sem me ferir, porque estou com a alma em carne viva, digam-me, sem broncas, sem me diminuir, como devo sair dessa... Eu amo vocês, mas não se incomodem se eu não os aceitar naquelas horas porque, afinal...

eu só tenho 13 anos!

Delegar a educação dos filhos à escola

Entre vários filhos
cada um é único na sua existência.
Os pais precisam respeitar suas individualidades,
seus nomes, pois
cada filho irá construir a sua própria história,
considerando sempre que eles fazem parte
da felicidade e eternidade dos seus pais.

O que de melhor as escolas podem fazer
É capacitar seus alunos coletivamente para
a excelência profissional e a cidadania,
não aceitando desde hoje o que eles
não poderão fazer futuramente na sociedade,
estimulando-os a cuidar da escola,
que assim aprenderão a preservar o planeta.

A cada uma, família e escola,

Cabe cumprir a parte que lhe compete,

mesmo em áreas de confluência e superposições,

pois:

para a escola, seus alunos são transeuntes curriculares,

para os pais, seus filhos são para sempre.

Cabeça vazia

Cabeça vazia é fábrica do diabo, corpo parado, brejo mofado...

Pai e mãe, preciso de vocês

Vocês ainda são muito importantes para mim.

Não é porque estou na 5ª série que não preciso mais de vocês. Pelo contrário, essa 5ª acabou com minha vida.

Na escola sinto aquele sufoco de ter muitos professores. É um monte de provas, chamada oral a toda hora e matéria que não acaba mais, e por cima disso tudo aquela pesada mochila que me amassa embaixo.

Até o recreio é um sufoco: se for comprar lanche, a gente perde um tempão na fila, e nunca sobra tempo para brincar. Lanche de casa? Nem pensar... Não sou mais criancinha!

Em casa, é um corre-corre por causa das lições e mais esporte, Inglês e tudo o mais. Se quero relaxar um pouco vendo TV, vêm logo vocês dizendo: "Você não sai da frente da televisão". Se fico parado, vocês se preocupam: "Tudo bem, meu filho?" Se faço algo diferente: " O que você está aprontando?"

Não consigo me organizar para estudar, tudo parece importante e vai cair na prova. Fico nervoso e revoltado. Por que tudo tão de repente? Poderia ser devagarinho, para a gente ir se acostumando. Confundo História com Geografia, Matemática é muito difícil, Português, cheio de regras... Fico tão afobado que nem consigo arrumar a mesa para estudar, muito menos o quarto... Zona e zoeira fazem parte de mim.

Não sei o que está acontecendo comigo: já não acho graça em algumas brincadeiras dos menores, mas ainda não entendo bem os maiores. Odeio quando me chamam de "mongo". Os menores são uns chatos e os maiores me podam. Gosto de lutar e rolar no chão, mas se alguém me forçar um pouco quebro a cara dele. É divertido ver as meninas chorar.

Ajudem-me a organizar meu tempo. Não quero que estudem por mim, mas gosto de gente por perto, só para dar aquela força. Às vezes, não é de professora particular que eu preciso, mas sim de um pouco de atenção de vocês para eu me sentir mais seguro dentro de mim. Parem de reparar naquilo em que errei e escutem o que eu digo, minhas explicações, e principalmente prestem atenção em mim e depois me dêem opiniões. Gosto de ouvi-las. Se percebo que não me ouvem, fico revoltado e dá vontade de nunca mais abrir a boca para nada.

Tenham paciência comigo. Esperem eu terminar minha explicação ou o que estou fazendo. Muitas vezes sei o que quero dizer, mas não encontro as palavras. Demoro para fazer o que vocês fariam num instante, para pensar numa resposta, quando vocês já a têm na ponta da língua. Para aprender, eu preciso também fazer, não adianta eu ficar vendo vocês fazerem.

O fato de vocês me darem tudo o que quero e outras tantas coisas que nem pedi não substitui a falta de um de vocês em casa, de tarde, quando não tenho o que fazer ou, se tenho, é algo muito chato. Não quero ser um menor abandonado dentro de casa.

Fico sem graça de tomar a iniciativa de abraçá-los quando vocês entram em casa, principalmente se os vejo chegar cansados, esfomeados ou correndo para sair outra vez. Mas quando fico olhando para vocês é para dizer que senti muita falta de cada um e fico pensando: como ajudá-los?

Sei que vocês se sacrificam por mim. E nessa confusão toda às vezes chego a pensar que dou motivo para que vocês não gostem de mim, mas...

... sinto dentro de mim a certeza de que amo vocês.

Puberdade: a idade do camarão

A puberdade é um período
mais vulnerável que a infância ou a adolescência,
pois, além de tudo, ainda está trocando de "casca protetora".

A carne do camarão cresce, mas não a sua casca.
Na ecdise, o camarão, por não mais caber na sua casca, nasce,
ficando sem a mínima proteção até criar uma nova casca.
Ele vai produzindo uma secreção, que vai aderindo ao
novo tamanho do corpo. Assim se cria nova casca.
Infância é a casca menor.
A maior é a adolescência.
O pulo entre as duas é a puberdade.
O período mais vulnerável do camarão
aos seus predadores é na ecdise,
e da juventude, a puberdade.

O melhor

Vencer é muito bom, mas o melhor é saber perder.

Embaixo de um folgado tem um sufocado

Antônio é simpático, folgado, repetente, inteligente, mas vagabundo, bagunceiro com algumas iniciativas e nenhuma acabativa, e também fuma e bebe.

Zeferino, seu irmão menor, é tímido, nunca repetiu, inteligente, esforçado, ordeiro com muitas acabativas, e não bebe nem fuma.

Seus pais não entendem por que são tão diferentes se deram educação semelhante e tudo igual para os dois, que vieram do mesmo útero e do mesmo pai...

Mas será que os pais

não depuseram um rei para coroar o recém-nascido?

Já que deram para um, deram também para o outro sem precisar?

Colocaram os dois juntos, como se tivessem a mesma idade?

O primeiro foi muito exigido, ou mimado, enquanto o segundo foi mais mimado, ou exigido?

O que os pais deveriam saber é que seus sonhos e esperanças são muito diferentes da realidade vivida pelos filhos:

- o fato de nascerem em momentos e situações diferentes de vida já os torna diferentes;
- temperamentos podem estar ligados aos cromossomos e não ao "como somos";
- Antônio começou a ver o mundo à sua volta com dois olhos; Zeferino, com um olho só, já que no outro estava espetado um dedo de Antônio. É impossível que os dois tenham a mesma visão de mundo.

Portanto, todos os pais têm filhos únicos, não importa se dois ou três ou mesmo uma tropa, pois cada um deles é único...

Já que são irmãos de pai e mãe,
meus filhos, que receberam tudo igualzinho,
têm de ser unidos como "unha e carne".

Justamente por ter sido negada a grande diferença
existente entre ambos, eles cresceram bem unidos, sim,
mas com "unhas de um na carne do outro"...

A monotonia nasce na acomodação sobre a satisfação.

"Crioncinhas"

Um vazamento que todos os dias molha um pouquinho só
Pode ser pouco para contratar uma reforma,
Mas também é muito para se deixar como está...

Uma fratura óssea provoca uma correria para o pronto-socorro.
Febre alta no filhinho faz os pais correrem para o médico.

Mas aquele enjôo besta, que não impede o filhinho de ir ao *shopping*,
Deixa os pais alertas, pois é pouco para incomodar o pediatra
Mas é muito para deixá-lo soltinho...

A essas situações em que não sabemos bem o que fazer,
Chamo de necessidades e cuidados especiais.
Porque
O vazamento pode ser o duto de água se rompendo,
O enjôo besta pode ser o começo de apendicite...

A "crioncinha" de hoje pode ser o "aborrecente" amanhã.

Gratidão ao anônimo

Hoje tenho tempo para almoçar. Fecho o consultório e faço uma caminhada até o *shopping*. Vou escolher com calma o que mais me agrade. Passo olhando cuidadosamente os diversos restaurantes. Pelas ótimas e apetitosas fotografias, tudo parece muito saboroso. Meu apetite também está em meus olhos.

Escolho uma salada. O rapaz de luvas começa a prepará-la com capricho e cuidado. Uma verdadeira obra de arte está pronta: deliciosamente linda, digna de um rei.

Esta salada merece ser saboreada na melhor mesa do restaurante: a da cabeceira, de onde tenho um amplo visual cheio de vida das bonitas pessoas que andam, das luzes que piscam, das escadas que rolam. Sinto o agradável movimento de pessoas vivendo, enquanto escuto um vozerio do qual nada distingo, mas me faz pertencer a este mundo.

Sou um privilegiado. Agradeço a Deus tudo isso e recebo sua bênção para essa salada que vai fazer parte de mim.

Agradeço a todos, do lavrador que plantou estes verdes ao rapaz que preparou tudo... Penso no longo caminho que esta salada trilhou até chegar a meu prato.

Agradeço a meus pais terem-me dado vida, aos professores que não mediram esforços para me transmitir seus ensinamentos, a minha mulher, que me deu os filhos e caminhou sempre junto comigo, dando-me forças quando eu enfraquecia.

É um momento sagrado. Eu e esta salada, neste templo do capitalismo aonde a crise chegou, mas ficou numa esquina próxima. Saboreio cada porção que este descartável garfo traz à minha boca.

Degustando esta salada, vou registrando este momento tão precioso e agradecendo à vida por me dar o privilégio de comer e o requinte de saborear esta simples salada, preenchendo minha alma de tamanha gratidão.

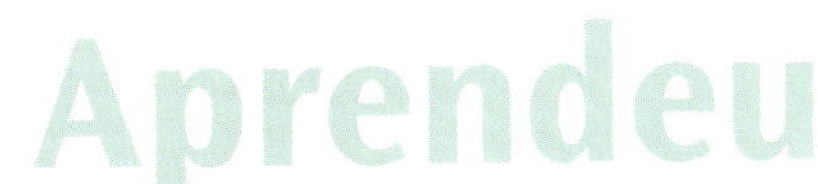

Quem sabe fazer aprendeu fazendo.

Responsabilidade e honestidade

Os pais poderiam exigir
que os filhos praticassem em casa
o que eles terão que fazer como cidadãos:
Disciplina, ética, solidariedade,
responsabilidade, gratidão...
Exercitar o que têm de melhor em si.

Uma criança deve aprender desde cedo
que uma brincadeira acaba
com ela guardando o brinquedo
deixando o local tão em ordem como estava.
É um exercício de responsabilidade
com tudo tendo começo, meio e fim.

Os pais não poderiam permitir
que os filhos fizessem em casa
o que eles não poderão fazer na sociedade:
Falta de respeito a outras pessoas, egoísmo,
desonestidade e piratarias, desperdícios,
desvio de verbas, mentiras...

Um filho recebeu dinheiro dos pais
para comprar lanche na escola.
Mas "comprou" figurinhas para si.
Assim aproveitou-se do poder que tinha
sobre o dinheiro que era do lanche e não seu.
Praticou um "desvio de verbas".

É pela cidadania familiar que se constrói um cidadão!

PARTE 2

amor

A arte de viver bem

Não exija dos outros o que eles não podem lhe dar,
mas cobre de cada um sua responsabilidade.
Não deixe de usufruir o prazer,
desde que não faça mal a ninguém.
Não pegue mais do que você precisa,
mas lute por seus direitos.

Não olhe as pessoas só com seus olhos,
mas olhe-se também com os olhos delas.
Não fique ensinando sempre,
você pode aprender muito mais.
Não desanime perante o fracasso,
supere-se transformando-o em aprendizado.

Não se aproveite de quem se esforça tanto,
ele pode estar fazendo o que você deixou de fazer.
Não estrague um programa diferente com seu mau humor,
descubra a alegria da novidade.
Não deixe a vida se esvair pela torneira,
pode faltar aos outros...

Se você quer o melhor das pessoas,
Dê o máximo de si,
Já que a vida lhe deu tanto.

Enfim, agradeça sempre,
Pois a gratidão abre
As portas do coração.

Conforme a dose

Um remédio pode ser veneno e vice-versa, conforme a dose.

Felicidade

Os pais podem dar alegria e satisfação para um filho,
mas não há como dar-lhe felicidade.
Os pais podem aliviar sofrimentos, enchendo-o de presentes,
mas não há como comprar-lhe felicidade.
Os pais podem ser muito bem sucedidos e felizes,
mas não há como emprestar-lhe felicidade.

Mas os pais podem aos filhos
dar muito amor, carinho, respeito.
Ensinar tolerância, solidariedade e cidadania,
exigir reciprocidade, disciplina e religiosidade,
reforçar a ética e a preservação da Terra.

Pois é de tudo isso que se compõe a auto-estima.
É sobre a auto-estima que repousa a alma,
E é nesta paz que reside a felicidade.

Não adianta

Não adianta atrasar porque atrasar não adianta.

O prazer de ensinar

Ensinar é transmitir o que você sabe a quem quer saber, portanto é dividir sua sabedoria. Mas é uma gostosa divisão que não segue as leis matemáticas, porque, em vez de você diminuir, você ganha o que nem lhe pertencia. Ensinar faz o mestre atualizar seus próprios conhecimentos, o que aumenta sua sabedoria.

Nem sempre o professor ensinar significa o aluno aprender. Quanto mais o professor conseguir aplicar seus conhecimentos no dia-a-dia do aluno, mais este terá interesse em aprender. Ensinar algo que não serve ao aluno o obriga a simplesmente decorar, como uma memória descartável que dura até o momento da prova. O professor que não se deixa questionar, não aceita sugestões nem acata reclamações é porque tem sua aula decorada faz tempo e, se não morreu, falta pouco. Os questionamentos revolvem os acomodados neurônios em busca de novas respostas, reativando o cérebro, revivendo a alma.

Ensinar é realizador, prazeroso e gratificante. É ver desabrochar a flor cuja semente o mestre plantou. O conhecimento deve ser dosado pelo interesse e pela capacidade de aprendizagem do aluno. Muita luz pode cegar o olho acostumado à penumbra. O aprendiz, além de receber o conhecimento, está absorvendo o prazer de ensinar do mestre, que nele se transforma em prazer de aprender. E o que se aprende com prazer não se esquece jamais.

É transitório e medíocre o abuso do poder do saber sobre quem não sabe. Esse poder só alimenta a mesquinha vaidade das pessoas. O "sabe-tudo" está pondo um limite subjetivo em seu conhecimento acreditando-se onisciente. Isso é mania de querer ser Deus. A maior fraqueza do homem é querer ser Deus, pois a verdadeira sabedoria traz embutida a humildade. É saudável buscar a perfeição, porém é mais perfeita a pessoa que a procura do que a que a encontra. O verdadeiro mestre procura estar sempre aprendendo.

O mestre é um caminho para seu aprendiz chegar à sabedoria. O aluno tem de superar o professor. O verdadeiro mestre se orgulha de ter sido um degrau na vida do aprendiz que venceu na vida. Ensinar é um gesto de generosidade, humanidade e humildade. É oferecer alimento saboroso, nutritivo e digerível àqueles que querem saber mais porque

ensinar é um gesto de amor!

O sucesso dos pais...

Acredito no **SER HUMANO**.
Mas não tem sido fácil ser **"HUMANO"**.

O Biológico se perpetua via DNA.

O Social evolui em progressão geométrica.

O Psicológico acompanha essa evolução.

Mentes privilegiadas promovem essa **evolução**.
No início, a força física era o **poder máximo**.
Estratégias venceram **forças físicas**.
Tecnologias aprimoram **astúcias**.
Informações ampliam **tecnologias**.
Comunicação e informatização globalizam povos distantes.

Conhecimento e criatividade propiciam mudanças
que, com ética e assertividade, melhoram a qualidade de vida.
O Ser Humano buscou, pelo autoconhecimento, o
equilíbrio pessoal
e, pelo sucesso na realização de seus potenciais, o
ser feliz.
Integrou-se com sua vida profissional.

Assim, o *Pai* luta para ser um profissional bem-sucedido
e a *Mãe*, uma mulher de sucesso.
O *Filho*, tendo tudo e mais um bom colégio,
de repente tenta o suicídio...

Esse episódio acorda os pais para o filho, para a família.
O que está acontecendo?
Há uma lacuna, uma insatisfação, mas onde?
Os pais estão sendo consumidos pelo trabalho,
construindo um patrimônio para os filhos,
mas estarão estes sendo preparados para recebê-lo?
Não "sobra tempo" para acompanhar os filhos,
nem para conviver com a família...

Até o filho criar a própria base, ele precisa muito dos pais.
Torna-se necessário relacionar-se com o filho, conhecê-lo bem.
Só o amor não basta.
É preciso educar dentro do que é adequado ao filho.
Hoje os filhos são fisicamente bem criados,
mas estão pouco capacitados e qualificados para a vida.
O sucesso dos pais não garante a felicidade dos filhos.

... E como está a vida familiar desses com tanto
sucesso profissional?
Têm eles o mesmo sucesso como chefes de família?
Não prefeririam eles ficar "trabalhando" a ficar
"perdendo" tempo em casa?
É preciso também conhecer como funciona a família...

A família é o passaporte que acompanha o viajante em todos os países.

Mudam-se os paradigmas profissionais,
mas a família permanece sua fonte afetiva.
Qual um acrobata, que para agarrar o próximo trapézio
se lança corajosamente no vazio espacial,
o profissional precisa acreditar em seus projetos
e neles se lançar arriscando sua vida.

É nesses momentos que a família está presente:
sustentando o trapezista no ar;
o profissional em suas crenças;
energizando-lhe o corpo;
alimentando seu coração;
iluminando sua alma...

Mudam-se os padrões em nome da evolução.

O Ser Humano vencedor é aquele que,
sem se sentir ultrapassado, consegue
absorver mudanças e aperfeiçoar
ainda mais o que ele já se acreditava
fazendo melhor.

Força física? A idade consome.

Poder e *status*? Com a aposentadoria se acabam...

Matéria? Dinheiro? Mudam de mãos...

O que permanece com a pessoa é o que exclusivamente lhe pertence,
suas vivências relacionais.

Relacionamentos humanos são essenciais.

Saúde de Vida é o que propicia a Integração Relacional.

"Somos as pessoas que amamos e
por quem somos amados."

Liberdade

Por maior que seja a liberdade de consciência, prisão é sempre prisão.

Uma mão lava a outra...

Era uma vez um dedo.
Ele vivia sem saber nada de si,
Porque olhava somente para fora.

Ele foi muito bem cuidado por mãos bem maiores.
Essas mãos lhe deram carinho e alimento,
Deram-lhe também um nome: Neném.
O dedo repetia o que as mãos lhe falavam.
Aprendeu o nome delas: Mamãe.

Começou a descobrir outras mãos.
Mas a mais importante era sempre a Mamãe.
Sentia-se o centro das atenções.

Neném adorava dormir envolvido por ela.
Neném e Mamãe eram um só sentimento.
Gostava mesmo era de ser agradado.
Detestava quando Mamãe sumia.
Parecia que ele mesmo também não existia.

Olhou-se e percebeu:
Ele tinha outros dedos irmãos.
Que alegria poder mexê-los todos.
Logo entendeu que todos faziam parte da mão.
Agora, ele era a mão que comandava os dedos.
Ficou mais engraçado brincar com outras mãos...

Um dia, a mão quis se lavar.

Por mais dedos que tivesse, não conseguiu.
Por maior que fosse um dedo, também não conseguiria...

Precisou da ajuda de outra mão.

Que fácil, e que gostoso:
uma mão lavar a outra!

Ambas são importantes uma para a outra.

Assim a mão viveu seu primeiro relacionamento.
Depois vieram outros...

Quando surgiram os hormônios sexuais,
A mão constatou quão incompleta era.

Afetiva e sexualmente solitária...
Sozinha não era nada.
Precisava encontrar sua mão complementar.

Entregou-se ao **AMOR**.

Um amor tão intenso, tão sentido, tão realizável
Que parecia até um corpo a unir as duas mãos.
De tão grandioso
As mãos e o corpo viraram uma só
Trindade, que é unidade.

Sem Amor, as mãos não se unem.

Com afeto,
Quando uma delas cresce,
O Amor se multiplica.
E se outra enfraquece
O Amor a fortalece.

Forte e sensível,
Resiste a temporais,
Mas desaparece
Quando uma não quer.
Delicado e tão fértil

O Amor se realiza na felicidade das mãos gerando novas mãozinhas...

O amor é rosa

Eu sou branco,
Você é vermelha.
Quando estamos juntos somos rosa.

Antes de conhecer você, até que eu vivia bem sozinho.
Comia o que queria, na hora em que eu bem entendia.
Era liberdade, independência e auto-suficiência.

Quando vi você, fiquei feliz e vermelho de paixão.
Nem percebi que eu não era mais o branco.
Foi então que o vermelho ameaçou me sufocar.

Comecei a me irritar e brigar com você.
No fundo porque você era vermelha,
e não branca como eu queria.

Por vezes, percebi-me querendo mudar sua cor.
Você soube permanecer vermelha, não se tornou branca.
Branca nada acrescenta ao branco.

E assim, entre nós, foi-se formando a rosa.
Mas tive receio de perder minha personalidade.
Temi perder minha individualidade.

Descobri: branco transformar-se em rosa
não é perder-se, desestruturar-se e desaparecer...
É crescer, complementar-se com a vermelha.

Meu temor à rosa deu lugar ao prazer
da convivência, do relacionamento
do amar e ser amado.

Dá mais trabalho porque nada pode e deve ser só branco,
mas tudo pode ser mais gostoso e rico com a vermelha.
Com ela vive-se o prazer, a cor, o amor.

Ser rosa é carregar dentro de si a vermelha.
É ter sua presença, pela saudade, na solidão,
É destacá-la no meio da multidão.

Pode ser muito bom um *lanche branco*,
mas nada supera um singelo *jantar rosa*.

Desencontro

É uma data especial...

Maria quer algo de José.
Algo que demonstre que José a ama.
Ela espera ansiosamente tal gesto de amor.

José é um homem bom e trabalhador.
Pensou no que agradaria Maria.
Deu-lhe um ventilador.

Maria queria flores.
Ganhou ventilador.
Expressou sua dor.

José não a compreendeu.
Esperava alegria e sorriso.
Recebeu um desagradável mau humor.

É sempre assim, pensam ambos.
Novamente não conversam.

Maria, em sua carência de amor, espera que da próxima vez
José satisfaça seus silenciosos desejos.
Gosta de ganhar presentes de surpresa.
Perde a chance de explicar o que deseja.
É obrigação de José perceber o que ela quer.

José não entendeu a frustração de Maria.
Honesto, responsável e dedicado marido,
No que foi que ele errou?
Não consegue falar a linguagem dos sentimentos.
Talvez nunca tivesse olhado no fundo dos olhos de Maria.

Ambos sofreram fundo, cada um, suas próprias carências...

Maria, por amor a José,
continua esperando flores...

José, por amor a Maria,
continua trazendo ventiladores...

Praga

Praga é tudo aquilo que damos ou recebemos demais e nos prejudica porque não sabemos como usá-lo.

VOCÊ,

Nosso filho, que veio de nós, é nossa maior riqueza, nosso maior bem, a pessoa que mais amamos no mundo.

Demos e vamos continuar lhe dando o melhor que podemos: saúde e educação; alimentos, roupas e diversão; alegria e amor...

Nosso maior desejo é ver você numa foto, na turma, no esporte, numa lista de aprovação, onde quer que você esteja.

Com você queremos corrigir o que não foi bom em nossa infância: não queremos que você sofra o que passamos, mas queremos que usufrua o que tivemos...

Queríamos que você fosse feliz, íntegro, realizado e, claro, rico e famoso!

Por tudo isso, acabamos exagerando e inundamos você com afeto, brinquedos, liberdade, tornando-os verdadeiras pragas em sua vida.

PRAGAS de afeto e brinquedos: demos tantos brinquedos e afeto que você nem soube o que fazer com tanta coisa. A novidade e a alegria de ganhar passaram a ser mais importantes que amar e ser amado. Assim, você começou a dar maior importância ao imediatismo do querer ter, não adquirindo a satisfação de se realizar com o que tem.

PRAGAS do prazer e da liberdade: nunca quisemos contrariá-lo nem compromissá-lo com nada para que tivesse uma infância livre e feliz, tudo para poupar-lhe sofrimentos. Sua única obrigação seria estudar. Sua satisfação alimentava nossa alma, para proporcionar-lhe cada vez mais um mundo de felicidade. Você podia experimentar e fazer tudo o que quisesse. Assim, foi perdendo a noção dos limites, da responsabilidade e da disciplina.

PRAGAS do sim e do poder: bastava você pensar em querer algo que nos despertava uma irresistível vontade de lhe dizer "Sim, você pode!", sem medir o esforço que isso nos custaria. Cortava nossos corações negar-lhe qualquer coisa. Avessos ao *não* e ao *autoritarismo*, não tínhamos limites para saciá-lo e deixá-lo fazer o que quisesse. Assim, você começou a não suportar frustrações, a querer e fazer tudo o que visse, sem ética nem respeito ao próximo.

Só o amor não é suficiente para uma boa educação.

A exuberante

Apaixonou-se pela exuberante.
Moveu o mundo para conquistá-la.
Ela se entregou a tamanha paixão.

Casaram-se.
Viveram um para o outro.
Desejo de um era prazer de ambos.

Chegaram os filhos.
Ela se tornou mais mãe que mulher.
Ele, mais homem que pai.

Família em ascensão.
Ele, brilhante profissional.
Ela, eficiente "Rainha do Lar".

Filhos “aborrecentes”.
Ele, empresário na Idade do Lobo.
Ela, desgastada e na menopausa.

Patrimônio garantido.
Exuberância deu lugar à tristeza,
Mesmice tomou conta de todos.

Apaixonou-se por outra exuberante...

Não é problema

O que não tem solução não é problema. É um fato.

Cócegas no sangue

Não reparem os que virem
meus olhos brilhantes,
meu sorriso fácil,
meu corpo leve,
minha expressão feliz.

Não liguem os que escutarem
minha voz alegre,
minha fala rápida,
meus trocadilhos,
meu cantarolar.

Não critiquem meus censores
o não ligar para o estudo,
o não arrumar meu quarto,
o otimismo exagerado,
a alegria de viver.

Mas compartilhem comigo os que sentirem
meu bom humor,
cócegas em meu sangue,
minha energia transbordante,
em meu coração saltitante.

É que chegado é o dia
de encontrar meu amor!

Saber lidar

O Sucesso e a Felicidade não dependem de fazer somente o que se gosta, mas também de saber lidar com aquilo de que não se gosta.

Paixão dura pouco

Foi passeando pelo interior que a vi pela primeira vez. Fiquei muito bem impressionado. Com a inevitável comparação com a minha, percebi que era por ela minha preferência.

A minha, eu já a conheço muito bem: feliz, arrumada, bagunçada, festiva, triste, e de todas as maneiras que possam existir em três décadas de convivência. Até à felicidade o humano se acostuma, tornando-a rotineira.

Sou bem-sucedido, sem defeitos físicos nem moléstias infecto-contagiosas, muito menos doenças repugnantes de pele. Com dinheiro no bolso, estabilizado no emprego, esposa na menopausa, filhos na adolescência e a vida rotineira, sou atacado pela cruel dúvida machista: arrumo uma amante ou compro uma casa de veraneio? Eis a questão existencial: uma mulher e duas casas ou uma casa e duas mulheres? Oh! Dúvida cruel!

Desde que a vi não consegui mais deixar de pensar nela, toda bonita, receptiva, disponível, muitas promessas no ar. Num ímpeto de coragem, inundado de adrenalina, fiquei com ela.

Que prazer, que alegria! Voltei a viver! Ela me vinha à cabeça a todo momento e meu coração se enchia de saudade: vivia em função de vê-la. Quanto mais tempo ficava com ela, tanto mais com ela eu queria ficar.

Ela mesmo nunca me procurava. Recebia-me de bom grado e agradecia tudo o que lhe fazia, tornando-se cada vez mais bela, mais vistosa e agora, por que não dizer, também mais desejada por outros homens. Mas, antes mesmo de começar, eu já sabia que seria assim: alegrias e despesas...

Passado um tempo, já não acho tanta graça nela, principalmente porque agora só tem me dado despesas e preocupações, interferindo muito em minha vida. A paixão já passou. Paixão virar rotina? Isso eu não poderia me permitir. Mas a vida corre inexorável. Às vezes me alegro com a idéia de me desfazer dela. Acho até que vou sentir um grande alívio quando vendê-la: minha fazenda!

Ontem é base para hoje sonharmos com o amanhã.
Quem não tem projetos vive de recordações.

Família

A família sempre foi, é, e continuará sendo
o principal núcleo afetivo de qualquer ser humano.

O que inicia a família é o nascimento do nenê.
Da família sai o adolescente em busca da identidade social.

Com autonomia comportamental e independência financeira,
o adulto jovem busca uma parceira.

Seu maior sonho é realizar a felicidade.
Pelos filhos, a felicidade se perpetua.

Seu segundo maior sonho é ser eterno.
Nos filhos, eterniza suas obras e a si mesmo.

Os filhos trazem na sua própria existência
a felicidade e a eternidade dos seus pais.

A civilização se alimenta da educação
e são os pais que gravam a vida no livro da Humanidade.

Pertences

Saber viver é saber se despedir dos seus pertences que não mais lhe são úteis.

Meu filho, sua vida já não depende só de nós...

Você é o maior responsável por sua própria vida.

Quando nasceu, você dependia totalmente de nós, mas, à medida que foi crescendo, sua responsabilidade também o foi, junto com a liberdade. Talvez você não soubesse o que fosse responsabilidade e vivesse somente a liberdade.

Ensinamos muito a você, com intenção de ajudá-lo, pensando já em seu futuro. Acertamos e erramos. Insistimos para que você aprendesse a cuidar bem de seus pertences, a arrumar suas bagunças. Chegamos até a castigos, numa repreensão corretiva, para que aprendesse o jogo da vida. Fomos também complacentes, talvez coniventes na irresponsabilidade, não cumprindo promessas ou castigos, sempre dando um jeito para tornar sua vida um pouco mais fácil. Porém um sentimento nos era muito claro: queríamos que você fosse feliz. Sabíamos que a verdadeira felicidade não é gratuita, depende também de seu esforço.

Hoje você é adolescente.

O que você vive dentro de sua alma, o que faz com sua turma na rua, como aproveita sua vida escolar, já não estão mais tão ao nosso alcance. Sua individualidade já não nos pertence. São muitas as situações que você vai ter de enfrentar pela vida afora: drogas, sexo, assaltos, competição, rejeição, vestibular... Às vezes somos tomados pelo desejo de resolver nós mesmos seus problemas. Só não o fazemos porque sabemos que isso retardaria seu crescimento, diminuiria sua auto-estima e reduziria sua força vital.

Você pode contar conosco para aquilo de que precisar, mas não podemos estudar por você, banir as drogas de sua vida, defendê-lo das ameaças que o rondam a cada esquina. Estamos dispostos a atendê-lo sempre que necessário. O que fizemos foi lhe dar instrumentos para enfrentar a vida. Depende de como você os usa para ter sucesso ou fracassar. E a sociedade é silenciosamente dura e indiferente para os que perdem, enquanto aplaude os que vencem...

**Sofremos com você seu sofrimento,
usufruímos com você seu sucesso,
porque você é nosso filho,
porque nós o amamos.**

Minha pequenina está doente

Minha filhinha,
hoje você está adoentada,
sensível, chorosa, indefesa,
com vômitos e mal-estar, febril,
gemendo o que não sabe explicar.

Você me faz sentir-me mais cuidadoso,
meu coração se enche de carinho,
abraço-a terna, tão frágil,
aconchegada em meus braços
tão protetores.

Sua dor dói em mim,
sua fragilidade inspira meus cuidados,
sua confiança aumenta minha responsabilidade.

Queria com um sopro
tirar sua dor,
acalmar seu corpo,
tranqüilizar sua alma.

E assim logo você voltasse a ser
a serelepe correndo pela casa,
a que me enfrenta pelo olhar,
encara o que eu digo
e faz o que quer.

Porque assim é que eu a quero:
como você é!

Compreensão

A compreensão do outro é o começo do seu perdão.

O primeiro beijo

Antes de vê-la,
aquela cócega no sangue,
a inquietude do agito...
e uma incrível dúvida:
como será nosso encontro?
... E um tempo que não passa.

Finalmente, frente a frente.
Olhamo-nos profundamente.
Perturbados, falamos de nós mesmos.
Um abrir para se mostrar,
atentos para perceber.

Por fora, aparente tranqüilidade,
parece tudo sob controle.
Por dentro, taquicardia alvoroçada,
o coração saindo pela boca.

Muitas dúvidas:
estou lhe agradando?
está me gostando?
O papo rola solto, assuntos não faltam.
Tudo é motivo para concordar,
compreender,
admirar.
Tudo é agradável:
falas pedindo cumplicidade,
corpos, conivência.
... E o tempo não existe.

Qualquer movimento é pretexto:
levantar, andar, tocar,
encostar, segurar, abraçar.
Sentir o corpo de resvalo,
chegar cada vez mais perto,
mais forte, mais íntimo.

No corpo-a-corpo escapa a ansiedade
para dar lugar a um gostoso agrado.
O coração solícito emite e aguarda
os sinais de um afetivo abraço.

As inseguranças desaparecem,
aura de prazer envolve o bem-querer,
rosto no rosto,
braços entrelaçando os corpos,
mão de um nas costas do outro.

Aumenta o desejo.
Tão próximos, minhas mãos em seus cabelos,
suas mãos me aconchegando.
Meus olhos nos seus.
Meus lábios procuram os seus,
tão desejosos, já entreabertos:
... e o primeiro beijo.

Na cabeça, o branco total,
o corpo é pura emoção,
no movimento, o desejo,
no carinho, a sensualidade,
no tempo, a eternidade.

O esperado, mas sempre surpresa,
o desejado tão inconfessável,
o espontâneo tão preparado,
o real tão imponderável,
o sem-querer tão querido,
o primeiro beijo,
... um sonho realizado!

Quando o ar que nos envolve
começa a entrar entre nós,
um friozinho nos lábios
acusa que o beijo acabou,
mas o abraço continua forte.

Um sem-gracismo nos apossa,
a cabeça girando loucuras.
No corpo, a certeza:
um pouco de você está em mim,
de mim você leva um pouco.

Um mistério foi desvendado.
Nossos corpos, virgens um para o outro,
começam a se abrir, a se desnudar,
o sonho parece realizável,
a realidade agora é um sonho.

O tempo é cruel
e o que seria agora já foi,
mas guardo dentro de mim
a eternidade daquele beijo
vivida num hiato do tempo.

Verdadeiro amor

É na liberdade que se conhece o verdadeiro amor.

Diálogo de amor

Sempre a escutaria

Suas palavras entram em mim, atingem o que tenho de mais íntimo e passeiam pelos caminhos sequer imaginados levando cores e movimentos a um mundo que ainda não existia.

Você fala com os olhos. Suas pálpebras sobem, descem, permanecem abertas, semicerradas, fechadas. E atrás delas estão os olhos, lindos e expressivos, compondo uma sinfonia que faz dançar os meus no compasso dos seus. Vejo o que seus olhos vêem.

Suas palavras trazem a doce melodia da sua alma, no ritmo e no timbre do bem-querer que instiga todo o meu ser. Mesmo que fossem em língua totalmente estranha, eu entenderia o que você está me dizendo.

Suas mãos, qual relvas ao vento, dançam um bailado do corpo que emana uma energia infinita, que acende a minha.

Você falando, eu ouvindo...

Todo o meu Eu fica como mariposa em volta da lâmpada. Essa que se faz única, como uma vela acesa em um quarto escuro, que faz desaparecer todo o resto. Sua energia é sua vida, que me leva a voar à sua volta, incansável, perdidamente atraído pelo que você é.

Temo aproximar-me demais. Não quero desvendar a fonte. Não só por não querer morrer queimado como a incauta mariposa, mas porque o segredo está no que ela jorra. Quero saborear o que a fonte produz, usufruir sua luz, seu calor, sua sabedoria, seu amor...

Sempre lhe falaria

Minhas palavras envolvem-na como um terno abraço e vão penetrando em seu corpo por todos os poros. Sinto-a dançando sob o som da minha fala. Seu corpo expressa palavras que nem precisam ser ditas...

Seus olhos denunciam seu corpo tão aberto quanto seus ouvidos, que parecem nada mais receber além de mim. Sinto-me único, privilegiado, fonte de seu prazer de ouvir...
Levo-a para meus sonhos, meus devaneios.

Quero-a andando pelas nuvens,
deitada ao sol,
acariciada pela lua,
abençoada pelas estrelas...
Tudo agora é tão efêmero...
Só nós dois...
Somos a eternidade.

Minhas palavras são meus olhos, minhas mãos, meu corpo, que a levam para uma dança sob a sinfonia do entendimento, do afeto, do estar juntos. Levo-a para meus sonhos, a passear nos meus devaneios. Um único coração para dois corpos que são um só.

O desejo despertado por esse clima é perturbador. No encanto dos corpos unidos as almas bailarinas dançam um majestoso solo.

Nosso diálogo nos mistura, nos compõe, faz-nos perder as identidades para ficarmos nós dois dentro de cada um.

Saudade

Estou sozinho, sem ninguém por perto,
sem rádio nem televisão...

Só ouço o coaxar distante dos sapos,
os grilos da noite...
... e o bater de meu coração!

A minha mente vêm as lembranças
e a sensação: falta você.

Fecho os olhos
para iluminar meu interior,
onde vejo sua presença:
do jeito que eu quero,
à sua maneira de ser...

para saciar seus desejos,
como posso eu satisfazê-los?
para magoar-me com suas frustrações,
como posso eu corrigi-las?
para viajar pelos seus sonhos,
como posso eu realizá-los?
para cumprir suas tarefas,
como posso eu concretizá-las?

Nos meus devaneios
somos um casal perfeito,
nossos corpos se entrelaçam
num aconchegante abraço
somos os dois um só,
palavras, nem as preciso
para olhar, tocar, sentir
e ter você dentro de mim...

Saudade que eu sinto
não depende da distância
nem do tempo que não a vejo,
mas do desejo de a querer comigo,
não importa se se passaram somente
alguns passos, poucos instantes...

Saudade é o gostinho que sinto
do apressado beijinho
que desliga nossos corpos.

Saudade é o sufoco no peito
já no singelo aceno de mão
que põe a primeira distância entre nós.

Saudade é uma sensação tão forte
que, mesmo sabendo que estou me despedindo,
gostaria mesmo é de estar chegando,
como se nunca tivéssemos nos separado.

Imaginar é viver

Um cair de tarde. Sol poente. Um círculo de fogo num céu avermelhado, que se desfaz num cinza azulado, para se fazer na cor da noite. Fim de inverno. Pássaros, céleres, cortam os espaços entre as árvores. Silhuetas pretas das aves, contrastando num rubro céu, em bandos, voam alto, formando variados e agradáveis desenhos.

Meu carro desliza suavemente sobre o asfalto. O rádio me traz Vivaldi, em seu *Inverno*. As lanternas vermelhas dos carros à minha frente me sinalizam a distância entre eles e nós. Sinto-me como aquela ave voando pelo céu. Admiro a simetria que o trânsito permite num serpentear sobre o asfalto.

Meu coração bate forte. Minha pele se arrepia ao som dos violinos. Meus pensamentos voam. Vão para bem longe, para onde está você. Penso em você. A distância já não existe. Emoção vencendo geografia. Trago você para perto de mim. Vivamos juntos esse pôr-do-sol.

Olho seus olhos. Atravesso-os e descubro seus segredos.

Pego em suas mãos, que também pegam nas minhas. Acaricio-as e as aperto ternamente. Mas, para o que sinto no peito, isso é muito pouco. Quero mais.

Abraço-a e você me abraça. Sinto seu corpo junto ao meu, que a envolve completamente. Para meu corpo energizado, o abraço ainda é muito pouco.

Beijo-a. Ternamente. Os beijos correspondidos ardentemente incendeiam meu corpo. Meus beijos já não respeitam o limite de seus lábios. Buscam todo o corpo. Ele se abre para mim, não guardando nem um segredo que não possa ser beijado. Meus beijos libertam toda a sua volúpia, tão bem-comportada durante o dia. Seus beijos não poupam sequer um cantinho de meu corpo. Vou explodir.

Corpo a corpo, pensamentos não existem mais. É o reino mágico. Só nós dois existimos. Eu dentro de você. Você me recebendo no mais profundo de sua alma. Somos alma. Almas frenéticas buscando o máximo do prazer. O prazer do amor. Explodimos. Nós dois somos um. Não existo, você não existe. Existe a união de nossas almas. Um clima só. Paz.

Você é maravilhosa. Olho-a mais uma vez e seu semblante feliz entra por meus olhos, enquanto seu corpo busca aninhar-se no meu. Nosso amor nos encaixa em todos os poros, formando uma só pele. Como sou feliz!

Sou tão feliz que mesmo tão longe de você nunca estou sozinho.
Tenho você sempre dentro de mim.

O sol já se foi...
... ficaram as estrelas!

Contato com o autor
IÇAMI TIBA
TEL./FAX (011) 3815-3059 e 3815-4460
SITE www.tiba.com.br
E-MAIL icami@tiba.com.br